文字動物園
十二聲笑

文／哲也．圖／呂淑恂、吳司璿

十二聲笑

呂淑恂 繪

從前從前，有一位國王，他很不愛笑，很兇，整天板著一張臉，就算給他搔癢，他也不笑。

「您不要這麼兇嘛。」小公主常常拉著他的袖子說：「笑一下嘛。」國王嘴角往下一撇說：「有什麼好笑的？」

於是，為了讓國王有一些好笑的事情可以笑，公主靈機一動，舉辦了一場「動物逗趣大賽」。

這場比賽，總共有十二組動物報名參加。

「各位，請盡量表演得好笑一點！」公主說完，

比賽就開始了。

第一個上場的是老鼠。

「請問你要表演的是什麼？」公主問。

「過街。」老鼠怯生生的說。

然後牠很快的跑過街，表演就結束了，真的很不好笑，

觀眾都氣得很想打牠，所以後來就留下了「過街

老鼠，人人喊打」這樣的成語。

第二位上場的是牛先生，牠要表演愛情戲，

可是演到一半就演不下去，因為跟牠演對手戲

的是馬小姐，而牛先生
說什麼都不肯親馬小姐。

於是，留下了「牛頭不對馬嘴」的
成語。

第三位是老虎，牠表演打拳，一邊
打，還一邊放屁，滿好笑的，後來大
家都說牠打得「虎虎生風」。

下一位是兔小弟，可是一直不見人
影，大家在舞臺旁的大樹邊等牠等好
久，才發現樹邊的小樹叢，就是牠裝扮

成的，害大家「守株待兔」，真是又好氣又好笑。

接下來是兩組才藝表演，龍哥哥表演「龍飛鳳舞」的彩帶舞，樣子很滑稽。蛇爺爺則現場揮毫，畫了一張自畫像，還給自己加上兩隻光腳丫，說是「畫蛇添足」，模樣也很逗趣。大家都掌聲鼓勵。

接下來輪到馬小姐表演了，可是牠還在哭，因為剛剛牛先生說

一點也不長啊。」牠哭著說。

不肯親牠，是因為牠臉太長了。「可是我覺得

大家笑成一團，都說果然是「馬不知臉長」。

下一位上臺的是羊妹妹，可是牠一上臺就被牽走了，因為牠表演的是「順手牽羊」。不過

9

牠無辜的表情，逗得大家很開心。

接著猴子表演扮鬼臉，「尖嘴猴腮」的樣子，很好笑。大公雞則表演「聞雞起舞」，自己叫一聲，跳一下，叫一聲，跳一下。大家都笑翻了。

接下來上場的是小狗，牠本來也要表演跳舞的，可是龍和公雞都跳過了，牠一急，只好表演跳牆，結果卡在牆頭上下不來，大家都笑得肚子痛，誰叫牠「狗急跳牆」嘛！

最後是一群小豬上場，表演一齣話劇，名字叫「扮豬吃老虎」。

這句成語的意思是假裝成笨笨的樣子，卻能欺負像老虎一樣厲害的傢伙。小豬們演得好精彩，觀眾當中，除了老虎先生以外，全場掌聲和笑聲不斷。

這時候，大家轉頭看國王。國王坐在觀眾席最上面，一笑也不笑，

可是卻滿臉通紅，臉頰漲得鼓鼓的。

「不要憋嘛。」小公主一邊給他搔癢，一邊說：「笑一下嘛。」

國王噗一聲笑出來，而且不只笑一下，他笑了十二下。

「哈哈哈……哈哈哈……笑死我了……哈哈哈……哈哈哈……」

後來，鼠牛虎兔龍蛇馬羊猴雞狗豬，就被稱為「十二聲笑」。

到現在，每年他們都還會派一位代表出場，到處巡迴演出呢。

12

十二聲笑（ㄕˊ ㄦˋ ㄕㄥ ㄒㄧㄠˋ）

＊「動物之夜」節目單

第一個節目　鯉魚躍龍門

第二個節目　狐假虎威

第三個節目　沉魚落雁

值日生⋯小公主

怪博士的變身槍

呂淑恂 繪

今天，天氣很好。

怪博士在鄉下的實驗室，閃閃發光，一定是又有什麼新發明。

沒錯！怪博士打開門，手裡拿著一把奇怪的東西。

助手小西正在門外打瞌睡，問說：「博士，你拿著吹風機做什麼？」

「哈，那你就看走眼了！」怪博士大笑：「這是動物變身槍！」

「可以把動物變身嗎？」

「不是啦，是可以把動物的特色變到自己身上喔。你看！」怪博士把變身槍對著小西，發射出一串彩色光圈，然後喊：「鷹勾鼻！」

小西的小鼻子馬上變得好挺好漂亮！

「太棒了！」小西拍手說。「我還要變！」

「虎背熊腰！」博士喊，彩色光圈呼嚕嚕發射出來。

小西馬上變得好壯，好像健美比賽的選手。

「真了不起！」小西讚嘆說。

「哈哈，有了這個，我就可以變帥了。

小西，現在換你來變我了。」

怪博士把動物變身槍交給小西。「要變

帥一點喔。」

「好，鬥雞眼！」小西喊。

呼嚕嚕！博士的兩顆眼珠馬上擠到中間。

「這哪裡帥！」博士氣壞了。

「我覺得很可愛啊。」小西笑得肚子痛：

「雀斑！」

呼嚕嚕！密密麻麻小黑點爬滿臉。

「魚尾紋！」

呼嚕嚕！博士眼角長皺紋，看起來老了三十歲。

「哈哈哈，好好玩！」小西拍手。

「快還給我！」博士衝過去要搶變身槍。

「我還要玩嘛。」小西把變身槍對著自己。

「高頭大馬！」呼嚕嚕，

小西變得好高大，

矮冬瓜博士怎麼樣也搶不到變身槍。

「小西，你敢不聽話！」博士板起臉孔，手插腰。

小西又朝自己發射變身槍。「熊心豹子膽！」

「哈哈，現在我膽子很大，什麼都敢。」

小西說：「再來要把博士變成什麼樣子呢？」

他對著怪博士，呼嚕嚕發射彩色光圈，正要喊的時候，怪博士搶先喊出：

「身輕如燕！」

咚咚咚，怪博士變得好像有輕功，一跳一跳的，跳上小西肩膀，搶回動物變身槍。

18

「現在該我了。」怪博士說，一按

變身槍按鈕，彩色光圈向小西飛過去。

博士喊：「膽小如鼠！雞皮疙瘩！

牛頭馬面！狐狸尾巴！」

呼嚕嚕……

三天後——

「博士，我什麼時候才可以出去走一走？」躲在實驗室裡的小西哭著說。

「還不行，人家看到你，會以為是怪物。」怪博士一邊研究改良變身槍，一邊說：

「忍耐點吧，再三天就會變回原狀了。誰叫你吃了熊心豹子膽呢！」

怪博士的變身槍

*班級健康檢查報告

小西⋯鷹勾鼻

皮皮⋯鬥雞眼

妮妮⋯長雀斑

泰山⋯虎背熊腰

值日生⋯怪博士

蟲蟲王子的故事

吳可璿 繪

妹妹睡覺前，一定要爸爸講故事。

可是今天，爸爸已經很愛睏很愛睏，才講了一點點開頭就……

「把鼻，後來咧？」

妹妹一回頭，發現「把鼻」已經睡著了。

過了一分鐘，爸爸醒過來，抓抓頭笑著說：

「不好意思，瞌睡蟲來了。」

「瞌睡蟲？」妹妹從來沒聽過有這種蟲。

「在哪裡？我們把牠抓起來？」

「噓，小聲點，別把牠嚇跑了。」

爸爸翻開枕頭，東找西找，就是找不到瞌睡蟲。

「跑掉了。」爸爸揉著眼睛說：「太大聲，就會把瞌睡蟲趕跑的。」

「那牠是從哪裡來的？」妹妹問。

「這個嘛……」爸爸打了個呵欠。「當然是蟲蟲王國囉。」

於是爸爸就講了一個故事：

「很遠很遠的地方，有一個蟲蟲王國。有一天，有小蟲子來報告國王，說山那邊來了一隻大怪獸！於是國王就派他的七個王子，去趕走大怪獸。」

「然後咧？」

「七個王子出發了。大王子是糊塗蟲，負責帶食物。二王子是懶惰蟲，負責帶武器。三王子是個書蟲，負責想辦法。四王子是可憐蟲，負責喊加油。五王子是應聲蟲，負責談判。六王子是跟屁蟲，負責衝鋒。七王子就是瞌睡蟲了。」

「那瞌睡蟲做什麼？」

「瞌睡蟲什麼也不用做，因為大家都說他最沒用，整天只會打瞌睡。」

「後來咧？」

「走啊走，走啊走，大家肚子好餓，打開麵包袋一看，糊塗蟲把麵包帶成了木炭！糊塗蟲只好回家去拿麵包。

再走啊走，走啊走，怪獸出現了，原來是一隻大毛毛蟲。『快把寶劍拿出來！』大家喊。可是懶惰蟲嫌劍太重，

早就把劍都丟了。他只好跑回去撿。『現在怎麼辦？快想想辦法！』大家說。

書蟲一邊翻書，一邊搖頭，這些書上都沒寫遇到怪獸該怎麼辦。他只好跑回家去翻書。

剩下的人好害怕，可憐蟲為大家喊加油：『好可憐，我們沒救了，加油。』大家聽了，就把他趕回家去。

「哈哈。然後咧？」妹妹揉著眼睛說。

爸爸一邊講故事，一邊輕輕拍著妹妹的背。

「應聲蟲只好去跟毛毛蟲談判。

應聲蟲說：『毛毛蟲，請你離開吧！』

毛毛蟲說：『憑什麼？你才該走！』

應聲蟲想了想，就說：『你說得對，我走了。』應聲蟲一走，跟屁蟲也

忍不住跟著他屁股後面走了。

就這樣，所有人都走光了，

只剩下瞌睡蟲。

因為他睡著了。

毛毛蟲爬過來，正要把他一口吃掉時……呼！瞌睡蟲一打呼，

吹到毛毛蟲臉上，毛毛蟲就睡著了，一直到現在還沒醒來。

瞌睡蟲睡醒以後，找不到大家，也找不到路回家，從此以後，

他就到處流浪。遇到他的人，都會忍不住打起瞌睡來喔……」

爸爸說完故事，看著妹妹熟睡的臉，笑了，對於自己臨時

想出來的故事，覺得很得意。他輕手輕腳走出房間，

熄了燈，把門輕輕關上。

然而，在房間裡還有個小人兒……在妹妹的枕頭邊，

瞌睡蟲放下行囊，坐了下來。「天黑了。」瞌睡蟲打著

呵欠說：「哎，哪一天才能找到回家的路呢？還是先睡吧。」

很快的，房間裡響起了小小的呼聲……

奇怪的動物園

吳司璿 繪

「下雨天，真討厭。」
妹妹鼻子頂著玻璃窗說。

嘩啦啦，嘩啦啦，
老天爺才不理她。

「我快無聊死了。」妹妹呵了
一口霧氣，用手指畫玻璃。

「去寫功課啊。」媽媽說。

「早就寫完了。」妹妹說：

「哎，家裡都沒人陪我玩。」

刷刷刷，刷刷刷，
刷刷刷，媽媽在拖地板。

沙沙沙，沙沙沙，哥哥在寫功課。

「我好想養一隻狗。」妹妹說。

「不可以。」媽媽說。

「家裡已經有一隻狗啦。」

哥哥抬起頭說。

「在哪裡？」妹妹歪頭。

「在桌上。」

妹妹跳起來，跑到餐桌旁，踮起腳尖看。「那是熱狗啦！」

「熱狗不是狗嗎？」哥哥笑著說：「那養老鼠好了。」

「好好好！」妹妹喊。

「書房有一隻。」

妹妹跑進書房一看。

「你騙我，是滑鼠。」

「養這種動物才好啊，不會大小便也不會臭。」哥哥說：

「我跟你說，媽媽不給我們養狗，我們就來開動物園。」

「動物園？」妹妹眼睛亮了起來。

「對，專門養別人沒養過的奇怪動物。

你喜不喜歡馬？」

「喜歡！」

「那我們就來養一群沙其馬！」

「耶！」妹妹拍手：「沙其馬跑起來，

風裡面都會香香甜甜的。」

「你喜不喜歡大象？」

「喜歡！」

「那我們就養一頭新聞氣象。」

「耶！」妹妹拍手：「只要象鼻子

舉起來，就表示要下雨了。」

「還要養什麼？」

哥哥一邊問妹妹，一邊繼續寫功課。

「老虎！」

「那就養三隻母老虎。」

「不要，母老虎凶巴巴，」

妹妹說：「會嚇到沙其馬。」

「那就養一隻紙老虎、一隻秋老虎，一隻吃角子老虎。」

哥哥告訴她，紙老虎是說假裝很厲害，其實不厲害的人。秋老虎是說秋天很熱的天氣，吃角子老虎是一種賭博的機器。

「你懂得好多喔。」

妹妹說：「讓你當園長好了。」

哥哥神祕的說：「我們要養一頭龍。」

「好，那我決定，」

「什麼龍？」

「保麗龍。」妹妹笑彎了腰。

嘩啦啦……外面的雨更大了。

「要不要養幾隻落湯雞？」

妹妹笑著說：「外面一定有很多！」

兄妹倆又笑成一團。

「你們在玩什麼啊？」媽媽拖完地，

打開甜點盒子說：

「好像很好玩的樣子。」

「啊！」妹妹喊。

「怎麼啦？」媽媽咬了一口沙其馬。

「我們養的馬⋯⋯」

妹妹說：「可憐，被吃掉了。」

媽媽愣住了。

哥哥扮了個鬼臉，繼續寫功課。

妹妹在窗玻璃上呵了一口霧氣，

開始畫起她的動物園⋯⋯

奇怪的動物園

値日生：園長哥哥

*「奇怪動物園」裡的動物走丟了，
它們看起來像動物，卻不是動物，
請你幫忙找一找、圈起來：

青蛙　　　海龜　　公雞

井底蛙　縮頭烏龜

黃牛票　水牛　　　野雞車

機器人也糊塗

吳司璿 繪

「各位小朋友，猜猜看，
我們今天要去哪裡上課？」

要上動物課以前，機器人
老師問大家。

外星寶寶們排隊走上圓圓的
飛碟裡，大聲回答：「地球！」

「叮咚叮咚，答對了。」機器人
老師是

老師的頭一閃一閃轉一圈。「老師是
地球動物專家喔。」

呼！飛碟浮了起來。

「請不要把頭和手伸出飛碟外。」老師說：

「我們要起飛了。」

耶！外星寶寶們鼓掌歡呼，然後開始把點心拿出來吃。

點心還沒吃完，飛碟就降落地球了。

外星寶寶們跑下飛碟，機器人老師開始教他們認識動物。

有一個小東西一跳一跳跳過來。

老師拿著麥克風問牠：

「請問你是什麼動物？」

「我是田雞啊。」田雞先生

有點緊張的說，第一次有人訪問牠。

「原來這就是雞啊。」老師說：

「各位同學，這是住在田裡的雞，

叫做田雞。雞可以分為公雞和母雞，

說說看，公雞是怎麼叫的？」

「咕咕咕……」外星寶寶們都學得很像。

「叮咚叮咚，答對了，」機器人老師的頭

一閃一閃轉一圈。「田雞先生，現在請你叫

一聲看看。」

「呱呱呱。」

「這……各位同學，這隻雞可能生病了。

好可憐。」老師說：「啊，那是什麼？」

有個爬得很慢的東西走過來。

「請問你是什麼動物？」老師問。

「我是蝸牛，請多指教。」蝸牛先生說。

「各位同學，這就是牛。」老師說：

「牛可以分為公牛和母牛。

說說看，牛會做

什麼？」

「會拉車！」大家說。「叮咚、叮咚，答對了，」機器人老師的頭一閃一閃轉一圈。「牛的力氣很大對不對？蝸牛先生，請你背我。」

蝸牛先生嚇一跳，機器人老師正要跳到蝸牛背上的時候⋯⋯

「住手！」有兩隻小動物衝過來大喊。

「你們是誰？」老師問。

「人家都叫我四腳蛇，是一種很毒的毒蛇。」蜥蜴先生說。

「我是壁虎，是一種很凶猛的老虎！」壁虎說。

外星寶寶們都尖叫起來。

「請你們不要欺負小動物。」蜥蜴和壁虎一起說。

機器人老師卻說：「我只是想騎牛而已啊。」

「那你可以騎那頭牛，」蜥蜴指著草原上。

「他叫犀牛。」

機器人高高興興跑過去，犀牛用角一頂，

他的肚子就凹了一個洞。

「不然，騎馬也不錯。」壁虎指著湖邊。

「那裡有河馬。」機器人又高高興興跑過去，

河馬張大嘴，在他額頭留下一排牙齒痕。

機器人老師滿臉口水，走回來。

「我覺得犀牛不是牛，

河馬也不是馬。」他說。

「叮咚叮咚，答對了！」蜥蜴和壁虎說。

「所以，田雞不是雞，蝸牛不是牛、四腳蛇不是蛇、壁虎不是虎……」機器人自言自語。

「那麼，大象也不是象，小狗也不是狗囉……」機器人說。

「呆頭鵝。」蝸牛笑說。

「呆頭鵝也不是鵝？」機器人問：

「那是什麼？」

「是機器人。」

「原來如此啊！」機器人老師說：

「地球的動物真是太奇妙了！」

機器人也糊塗

ㄐㄧ　ㄑㄧ　ㄖㄣˊ　ㄧㄝˇ　ㄏㄨˊ　ㄊㄨˊ

值日生：外星寶寶

＊「地球盃」常識測驗

一、（　）四眼田雞是 a 戴著眼鏡的田雞
b 有四隻眼睛的雞 c 戴眼鏡的人

二、（　）呆頭鵝是 a 笨笨的鵝
b 傻傻的人 c 呆呆的鴨子

三、（　）落湯雞是 a 淋得濕答答的人
b 好喝的雞湯 c 跌入水池的雞

45

小馬來了

呂淑恂 繪

妮妮皺著眉頭，咬著鉛筆，盯著作業本。

今天老師教「成語」。

「請你們回家以後，把這兩個成語的意思查出來。」老師說：

「還要造句。」

然後老師在黑板上寫下「心猿意馬」、「黃鶯出谷」。

可是，妮妮沒有電腦可以查。

妮妮也沒有字典可以查。

妮妮也沒有爸爸可以查。

爸爸今天要應酬。媽媽今天要學瑜珈。

妮妮回到家，只有愛打電動的哥哥可以「查」。

「哥，心猿意馬是什麼意思？」妮妮站在電視機旁邊問。

「大概是一種馬吧。」哥哥一邊用力按按鈕，一邊說。

原來如此。

妮妮皺著眉頭，咬著鉛筆，盯著作業本，卻想不出怎麼造句。

然後她就趴在書桌上睡著了。

喀答！

有一匹好可愛的小馬跳了出來。

「嗨！」小馬東跳跳、西跳跳。「我就是心猿意馬啦。」

妮妮忍不住也跟著牠跳起踢踏舞來。

東跳跳、西跳跳……不用做功課的時候，多麼快樂！

「跳到我背上來！」小馬喊。

「好呀！」

噠啦、噠啦……妮妮騎小馬，飛奔了起來。

跑過小山丘，跳過小河流，小馬還不停。

「這就叫馬不停蹄對不對？」妮妮在馬耳朵邊說：

「老師最近教好多成語。難死了。」

48

小馬點頭，繼續馬不停蹄的往前跑。

跑呀跑，跑呀跑，跑到了一座小山谷，

風景好美麗……

突然一個急煞車，小馬和妮妮一起

倒在草地上，滾了三圈。

「這就叫人仰馬翻，對不對？」

妮妮大笑說。

山谷裡的草地好柔軟，到處鳥語

花香，一群黃色的鳥兒在山谷間飛翔，

唱起歌來好聽得讓人想跳舞。

「這座山谷，」小馬蹦蹦跳跳說：「就是黃鶯出谷了。」

「黃鶯出谷？」妮妮抓著裙角，東跳跳、西跳跳。「我好想唱歌，好想跳舞！」

妮妮的歌聲好清脆，和鳥叫聲一起在山谷裡飄呀飄，好美妙。

小馬繞著她，一圈又一圈的跑。

「你靜一靜好不好！」妮妮笑說：

「跑得我都頭昏了。」

「我靜不下來呀，」小馬吐舌頭說：

「因為我是心猿意馬！」

50

第二天，老師請妮妮上臺。

「只有你，作業沒交。」

老師說：

「你知道這兩句

成語的意思嗎？」

「心猿意馬就是這樣。」妮妮上臺表演小馬東跳跳、西跳跳，一點也靜不下來的樣子，接著說：「黃鶯出谷就是這樣。」

妮妮唱起一首美麗的歌，好聽得全班都鼓掌起來。

「太好了，」老師說：「你在哪裡查到的？」

「我也不知道，」妮妮吐舌頭說：「那匹馬自己就跑來了。」

值日生：妮妮

小馬來了
ㄒㄧㄠˇ ㄇㄚˇ ㄌㄞˊ ㄌㄜ˙

＊今日國語課學習重點
一、心猿意馬：
心思像猴子一樣跳躍、像馬一樣到處亂跑，難以控制。比喻心思不專注集中。

二、馬不停蹄：
東奔西跑，形容忙碌的樣子。

原始人學說話

吳司璿 繪

從前從前，當原始人剛開始會說話的時候，能夠用的句子，實在很少。

比方說，當他們覺得很開心的時候，只會說：

「我很高興！」

「多高興？」

「很高興。」

「那有多高興？」

「很高興很高興。」

後來，有一天，他們突然發現可以模仿

54

動物的動作來表示意思。比方說……

「我很高興！」原始人先生說。

「有多高興？」原始人太太問。

「高興得像這樣！」原始人先生

就在原地跳來跳去。

「喔！原來高興得像麻雀在跳一樣！」原始人太太拍手。

他們好快樂，有了新的說法，說話就不再那麼單調了。

以後，當他們很高興的時候，就會說：

「我今天真是『雀躍』萬分！」

有一天，太太突然靈機一動說：

「我們去向動物學一些動作回來吧，

那就會有更多新說法！」

「對對對！」先生說。

於是，他們推著推車，走進草原裡，

邊走邊喊：「買動作喔！有沒有新鮮

好用的動作可以賣喔！」

動物們都覺得很好奇。

一隻牛慢慢走過來看個究竟。

「哇，牛走路好慢。」先生說。

「對呀，以後我們動作慢的時候，就可以說慢得像牛步。」

老牛走了半天，累得直喘氣。

「哇！牛好會喘大氣！」先生說。

「嗯，以後我們可以說『氣喘如牛』！」

老牛低下頭咕嚕咕嚕喝水，把一個小水潭都喝乾了。

「你看！」先生喊。

「嗯，以後你喝水喝太猛的時候，我就會說：『不要牛飲』！」

就這樣，老牛還沒開口，就賣出三個動作，賺到一大把嫩草。其他動物看了都趕快跑過來。

來應徵的動物太多了，原始人先生只好搭一個舞臺，讓動物們一個個上臺。

「表演看看，你們會什麼？」他說。

首先，雞和狗一起上臺表演舞蹈。

原始人先生和太太，在石頭筆記本上寫下「雞飛狗跳」。接著，狼和老虎上臺，表演吃東西的時候，唏哩呼嚕的難看吃相。

58

原始人先生和太太，在筆記本上寫下「狼吞虎嚥」。

接著，老鼠表演到處亂竄，兔子表演逃生術，蛇表演滑行……筆記本上也一一記下了「鼠竄」、「兔脫」、「蛇行」……

最後，動物們都領了獎品解散了，原始人先生又記下「鳥獸散」。

「等一下，還有我呢！」

萬獸之王獅子趕來，他大吼一聲，震得人耳朵嗡嗡響。

原始人先生急忙記下「獅子吼」。

「這個我們用不上吧？」太太問。

「你發脾氣的時候就用得上囉！」先生說。

「胡說！」太太發出一聲獅子吼，拎起狼牙棒，打得先生抱頭鼠竄，鬧得草原上雞飛狗跳⋯⋯

「你看他們倆多恩愛啊。」動物們都說。

於是，動物們就帶著禮物，歡喜雀躍的回去了。

原始人學說話

ㄩㄢˊ ㄕˇ ㄖㄣˊ ㄒㄩㄝˊ ㄕㄨㄛ ㄏㄨㄚˋ

＊體育教學課程表

星期一：「雀躍」

星期三：「雞飛狗跳」

星期五：「鼠竄」＋「蛇行」

值日生：原始人夫婦

皮皮的俏皮話

呂淑恂 繪

皮皮是一隻小狗，皮皮的爸爸是一隻小狗，皮皮的媽媽也是一隻小狗。

這是一個小狗家庭。

傍晚的時候，小狗爸爸下班了，拎著公事包回到家，把皮鞋一脫，躺在沙發上喊說：

「啊，累死我了。」

皮皮飛也似的跑過來。

「爸爸跟我玩！」

媽媽從廚房裡探出頭來。

「爸爸忙了一整天，已經累得像狗一樣，不要再吵牠了。」

「爸爸本來就是狗啊。」皮皮說。

「只是打個比方嘛。」媽媽聳聳肩，又回廚房炒菜去了。

「可是爸爸本來就是狗啊。」皮皮說。

「只是打個比方嘛。」媽媽聳聳肩，又回廚房炒菜去了。

「什麼叫比方？」小狗皮皮咬著爸爸的褲管問。

爸爸嘆了口氣。哎，真是不得清閒。

「比方就是比喻。」爸爸說。

「什麼是比喻？」

「比喻就是『就好像』。」

「什麼是『就好像』？」

「爸爸累得就好像直喘氣的狗一樣。」

皮皮吱吱喳喳吵個不停，就好像陽臺上的麻雀一樣。

皮皮歪歪頭。「那媽媽像什麼？」

「那姐姐像什麼？」

「像春天的蜜蜂，忙個不停。」

姐姐寫完功課，一蹦一跳從書房跑出來。

「姐姐像花朵上的蝴蝶。」姐姐說：

「美上加美。」

「好臭美。」皮皮吐舌頭。

64

「哼，狗嘴裡吐不出象牙來。」姐姐手插腰。

「狗嘴？象牙？」

媽媽從廚房裡端了一道菜出來。「這也是個比方呀。」

「你們講話都好像在猜謎一樣。」皮皮又去咬爸爸的褲管。可是爸爸已經睡著了。

「噓，不要再吵爸爸了。」姐姐說：「不然你只會貓舔狗鼻子。」

「又要猜謎嗎？貓舔狗鼻子，癢癢的？」

「錯，貓舔狗鼻子，自討沒趣。」

「再來再來，還要猜！」皮皮跳著說。

「你功課做完了沒？」

65

「早就寫完了。」

「那真是狗捉老鼠貓看家啊！」

「狗捉老鼠貓看家？奇怪？」

「不是奇怪，」姐姐笑說：「是反常。」

姐姐跟皮皮笑成一團。

媽媽煮了一桌好菜，拍拍手走出廚房。

「好啦！開飯了，我煮的菜可是棒打鴨子……」

「又沒鴨子。」弟弟探頭到餐桌上看。

「棒打鴨子，呱呱叫！」媽媽說。

「媽媽也會說謎語？」

「這不叫謎語啦，這是俏皮話。」

66

「為什麼你們都會？」

「誰叫你不多看點書。」姐姐說。

「哼，有什麼了不起！」皮皮喊。

爸爸被吵醒了，揉著眼睛，睡眼惺忪走到餐桌旁。

「爸爸，你現在的樣子，好像狗吹電風扇。」皮皮說。

「什麼？」

「瞇瞇眼。」皮皮說：「狗吹電風扇的時候，眼睛會瞇瞇的。」

「什麼跟什麼呀。」

「只是打個比方嘛。」皮皮學著大人的口吻說：「比方就是比喻，比喻就是就好像。這是俏皮話啦，多看點書就會了。」

姐姐噗哧一聲，差點兒把飯粒噴出來。

姐姐說：「這才不叫俏皮話，這叫皮皮話。」

爸爸卻一頭霧水，只想趕快吃完飯再去睡一覺，因為他今天真的累得像狗一樣。雖然他本來就是狗。

「這才不叫俏皮話，這叫皮皮話。」

「皮皮自己發明的怪話。」

皮皮（ㄆㄧˊㄆㄧˊ·ㄉㄜ ㄑㄧㄠˋㄆㄧˊ ㄏㄨㄚˋ）的俏皮話

值日生：皮皮

＊動物俏皮話欣賞

河馬打呵欠：口氣真不小

貓爪伸到魚缸裡：想撈一把

猴子戴手套：毛手毛腳

動物天堂

吳司璿 繪

有一天，在大草原上，

叮咚一聲，好像電梯門打開

一樣，在空中打開一扇門。

「一樓到了，謝謝光臨。」

電梯裡的天使小姐說完，

就有位先生提著公事包走出來。

「嗨！大家好。」

他向草原上的動物們打招呼說：「我是神。」

鹿呀馬呀牛呀，草原上的動物們，大家都

抬起頭看了一眼，然後就繼續吃草。

「喂，大家注意喔，」神拍拍手說：「我是來給

各位動物打分數的喔，表現不好的動物，就要從

地球上消失喔。」

這下子，動物們都圍了過來。

「為什麼要這樣？」有動物問。

「因為動物太多了，有些小朋友禱告的時候說，

那麼多種動物，他們都記不清楚

名字，常常被老師罵。」

神說：「所以囉。」

神從公事包裡拿出國語字典，打開來。「你們的表現，人類都記在這裡。」

老虎從草叢裡跳出來說：

「不用說，我的表現一定最好了！

人們都說我『虎虎生風』、『生龍活虎』！」

神翻一翻字典。「那也不見得，也有『虎頭蛇尾』這句話啊。」

「那⋯⋯」老虎讀過的書很少。「那是什麼意思？」神說。

「就是一開始好像很棒，後來卻不了了之。」神說。

「都是蛇惹的禍。」老虎說：「我的表現應該還不錯？」

「馬馬虎虎啦。」

馬聽到神提到他，趕緊說：

有句話叫『馬到成功』，可見人們多喜歡我。

神又翻一翻字典。「人們可不怎麼喜歡

『露出馬腳』。

「可是人們喜歡給個『下馬威』呀！

「不過『拍馬屁』的人，惹人討厭！

兩人吵來吵去，沒有結果，這時候

老山羊嘆氣了。「哎！別吵了。

先問問人類，捨不捨得我們哪。」

「老鬍子，什麼意思？」神問。

「你看，人們一整天，都少不了我們。」

急得像熱鍋上的螞蟻。」老山羊說。

早上起床晚了，怕遲到，他們就草原上的螞蟻全都點點頭。

「早餐吃得太快，媽媽就會罵：『你這麼猴急做什麼？』。」猴子們都笑了。

「馬路上，大家一窩蜂的趕著上班上學。

公車上擠得像沙丁魚似的，費了九牛二虎之力才擠上。

大人到了辦公室，忙得像無頭蒼蠅團團轉，小孩子到了學校，像縮頭烏龜似的，怕遲到挨罵。」

聽到自己名字的動物們，都起立拍手。

「考試的時候，雖然都不會，還是憑著牛脾氣，一口氣寫完了。考完還吹牛說都會。考壞了還要老師安慰說，沒關係，不要再鑽牛角尖了。」

牛伯伯聽了，又開心，又害羞。

「班上有個同學，很『鴨霸』，勸他不要欺負人，他說你雞婆，約你去打一架，你心想，打架一定吃鱉，只好放他鴿子囉！」雞、鴨和鴿子，都笑得拍翅膀。池塘裡的鱉卻悶悶不樂。

「放學時，心頭小鹿還在怦怦跳，忽然看到爸爸開車來接了，好高興！真是心有靈犀一點通！」

犀牛、小鹿和大家一起歡呼。

「你看，如果沒有這麼多種動物，人類要怎麼辦？」

我看他們連話都不會說了。」「嗯，有道理。」

神把字典收進公事包。「那我回去了。」

叮咚！半空中，電梯門又打開了。

「歡迎光臨！請問您要到幾樓？」電梯小姐問。

神說：「我到最頂樓，天堂。」

「這裡已經是天堂了。」

「什麼？」

電梯小姐看著可愛動物們，

笑著說：「動物天堂。」

動物天堂（ㄉㄨㄥˋ ㄨˋ ㄊㄧㄢ ㄊㄤˊ）

＊天神伯伯的字典

說說看，這些字詞是什麼意思？

一、虎頭蛇尾

二、露出馬腳

三、鑽牛角尖

值日生：天神伯伯

77

森林之王的夢

呂淑恂 繪

森林之王泰山，住在大城市裡。

「喔咿喔咿喔……」他常常一個人在房間裡，練習他的吼叫聲。可是再也沒有一大群動物，聽到吼叫聲後，飛奔到他身邊來。

他覺得好寂寞。

大城市裡，幾乎看不到什麼動物，但是有許許多多小東西，會讓他想起他的老朋友們。

走在馬路上，踩著斑馬線，他就懷念起從前在草原上，和斑馬一起賽跑的時光。可是現在馬路上只有硬邦邦的水泥，斑馬線也不像斑馬身上的線條那麼美麗。

路上有金龜車來來往往，可是它們不像金龜子會在樹林裡飛舞。

路邊有鵝卵石，可是這些鵝卵生不出小鵝。

城市裡有高高的鷹架，可是上面卻沒有老鷹。

工人手上拿著老虎鉗，可是老虎鉗並不會吼叫。

79

一整天，泰山就這樣一邊散步，一邊想念著動物朋友們。他想，

是不是城市裡的人，也很想念動物朋友們，才把他們身邊那麼多東西，都用動物來取名字？

傍晚，泰山慢慢走回家，吃完飯，戴上老花眼鏡看看電視，就上床睡覺了。

夜裡，他夢見自己收到了一封信。

信封上打著漂亮的蝴蝶結，他一伸手，蝴蝶結就拍拍翅膀，飛走了。

泰山打開信，信紙竟然發出「哞」的叫聲，原來那是一張牛皮紙。

泰山打開螢光燈，想看個清楚，

螢光燈飛出幾千隻螢火蟲，

把信照得好亮！信上寫

著：「森林之王，請來

參加森林舞會！」

叭叭！窗外有一輛

金龜車在按喇叭，一邊

拍著透明的翅膀。

「等一下！」泰山說：「我換個衣服！」

森林舞會耶！要穿什麼好呢？

泰山戴上鴨舌帽，鴨舌頭卻一直舔他的臉，

他只好換成燕尾服。

才剛穿好，燕尾服卻飛走了，飛出窗外，變成一群美麗的燕子。

泰山只好打著赤膊，就像他在森林中一樣。他坐上了金龜車，金龜子伸出長長的觸角，就飛起來了。

泰山往下一看，整座大城市已經變成大草原，斑馬線全部變成斑馬在奔跑呢⋯⋯

啊！好美的夢啊！

清晨，泰山醒了過來，揉揉眼睛，發現自己睡在森林的樹屋裡。

一隻猩猩跑過來。「泰山，早安！睡得好不好？」

「真奇怪。」泰山說：「我又夢到以前住在城市裡的那段時光。」

「別怕。」猩猩一邊幫泰山做早餐，一邊說：「你已經回來啦！」

森林之王的夢

＊我們的生活中，有哪些東西是用動物名字命名的呢？請你幫忙想一想：

值日生：泰山

水龍頭　燕尾服　老虎鉗

牛皮紙　（　）　（　）

（　）　（　）　（　）

閱讀和文字，文字和閱讀

兒童文學大師　林良

關心兒童閱讀，是關心兒童的「文字閱讀」。

培養兒童的閱讀能力，是培養兒童「閱讀文字」的能力。

希望兒童養成主動閱讀的習慣，是希望兒童養成主動「閱讀文字」的習慣。

希望兒童透過閱讀接受文學的薰陶，是希望兒童透過「文字閱讀」接受文學的薰陶。

閱讀和文字，文字和閱讀，是連在一起的。

這套書，代表鼓勵兒童的一種新思考。編者以童話故事，以插畫，以「類聚」的手法，吸引兒童去親近文字，了解文字，喜歡文字；並且邀請兒童文學作家撰稿，邀請畫家繪製插畫，邀請學者專家寫導讀，邀請教學經驗豐富的國小教師製作習題。這種重視趣味的精神以及認真的態度，等於是為兒童的文字學習撤走了「苦讀」的獨木橋，建造了另一座開闊平坦的大橋。

文字動物園

臺北市立健康國小老師　陳純純

孩子從牙牙學語開始，聰明的父母總會拿出許多認知圖卡，想幫助孩子更快的學習新知。這些圖卡當中，應以「動物」圖卡為最常見，當孩子們看到圖卡中的圖像，能準確說出動物的名稱，更讓為人父母者以孩子的進步為榮、雀躍萬分。但隨著年齡的增長，閱讀的機會增加，孩子會漸漸發現：文本中出現的「動物」常常不再是原來圖卡中的意象，而有了各式各樣不同的意義，小小讀者需從文章中重新解讀文字的新意，才能順利完成篇章的閱讀理解。讓我們依據不同主題來介紹幾篇有趣又易於學習的文章，讓「動物」為我們現身說法。

一、成語變調曲

成語是「詞義穩定的名言、名句、俚語、俗語、格言、諺語，被人經常應用，或是流傳廣泛的典故，成為日常生活的習慣用語。」那麼這些成語的典故是從哪裡來的呢？所代表的原始意義是什麼？又該如何運用在日常生活中？

將成語拿來當形容詞，是日常生活中非常重要的表達方法，使用過程，卻不一定要

死守原來的意思，偶爾可以拿來幽默自己或他人一下，轉化過後的用法，會讓聽到或讀到的人有驚豔的感覺。

然而有時候，用成語形容事物對孩子來說非常抽象，照著字面上的解釋，只能說出它的原意或想像原始故事，要如何運用於生活中，則需要配合情境的練習。因此，孩子們在造句的過程中，如何為自己的句子營造一個適當的情境，讓成語的使用恰如其分，在教學上相當重要，必須多加練習。例如：「小明寫的字真是『龍飛鳳舞』哇！」乍看之下，頗有讚賞之意，實則當做「反語」使用，意在諷刺。如果使用的情境是在孩子表現優良時，這句話真的是在讚賞，但若文章改成：小明拿回老師用紅筆寫著「字體潦草」的作業時，老師說：「小明寫的字真是『龍飛鳳舞』哇！」比照前後文的情境，孩子就會了解這句話的真正用意並非讚美。

如果將與動物有關的成語列出，再將它們編織成有趣的故事，藉此引起孩子學習成語的興趣，相信會讓孩子們在成語的認識與運用上更上一層樓。「十二聲笑」這篇故事，就是個充滿趣味且文意清楚的文章，不但將動物成語形容詞應用得淋漓盡致，更將它安排成孩子耳熟能詳的十二生肖來說明，必定能讓讀者除了會心一笑之外，運用成語能力迅速成長。

生活當中，身為父母師長的我們，是不是經常鼓勵或指責孩子的行

為？讓我們也來整理一下，通常我們用在孩子身上正面或負面的形容詞

有哪些？其中哪些和「動物」有關？相信用這種有趣的動物語言，孩

子們一定更樂於與父母溝通。

二、誰像誰？誰是誰？

中國文字中的一些形容詞用法，常會因人、時、地、事及表情的不同而產生不同的趣

味變化。動物當然也能拿來形容身形、情境、時間、地點、動作。譬如說：「這個人在操

場上的表現真是『生龍活虎』。」他並不是龍或虎，但生氣勃發的樣子透過這樣的形容便

躍然紙上。我們或許也會說「鄉下的外婆家附近，有許多條『羊腸』小徑。」即使大家都

知道那些小路一定比「羊腸」大很多。又例如：「『像鴨子一樣聒噪的』妹妹，總是在我

做功課時干擾我。」這句話貼切傳達了作者的無奈與煩躁。

這樣的用法，我們在修辭學上稱它為「譬喻法」。「譬喻」是寫作中最常見的修辭

法，對於許多的人、事、物，加上譬喻形容詞，更能彰顯作者的意念，若能利用「動物」

敏銳的聽覺、嗅覺等特點來形容，就能讓文章吸引更多人閱讀。

我們來看看「原始人學說話」這篇文章：「喔！原來高興得像麻雀在跳一樣！……

是『雀躍』萬分！」、「對呀，以後我們動作慢的時候，就可以說慢得像牛步。」、「嗯，以後我們可以說『氣喘如牛』！」、「

哇！牛好會喘大氣！」、這些動物形容詞適

切的在故事中出現，如此一來，是不是更淺顯易懂呢？

三、以我之名，別有所指

日常生活中，有很多以動物為名的慣用語，事實上根本不是動物。想起來了嗎？

「森林之王的夢」這篇故事就穿插了許多這類語詞：「斑馬線」、「金龜車」、「鵝卵石」、「鷹架」、「老虎鉗」、「蝴蝶結」、「牛皮紙」、「螢光燈」、「鴨舌帽」、「燕尾服」，它們是動物嗎？想想看它們和動物間的關聯。

在「奇怪的動物園」裡，這對兄妹沒辦法真的養寵物，於是就用想像力養了一些另類動物：「滑鼠」、「沙其馬」、「熱狗」等，在這些語詞裡它們既不是動物，也跟動物形容詞無關，但是我們都習以為常的使用這些字詞，也知道它們是什麼。

還有一類動物字看起來像是某種動物，實際上卻是另外一種——名字的最後一個字是什麼，並不表示它就是什麼，譬如：田雞不是雞，蝸牛不是牛，四腳蛇是指蜥蜴，壁虎和爬牆虎跟虎一點關係都沒有，呆頭鵝甚至是用來取笑別人的話呢！

四、俏皮話與猜謎

透過精心設計的燈謎和詩謎，孩子們可以試著在腦海裡複習、拆解字形，或想像字形、字音和字義的關係，從小開始領略文字的趣味。而俏皮話更是在一般對話中增添趣味的好法子。

哲也

我叫哲也，我的朋友們，有的叫我「哲」，有的則叫我「喂」，就是不叫我哲也，所以你也可以叫我「哲」，也可以叫我「喂」，也可以叫我摺個飛機給你，也可以叫書店把這本書打個折。

而我的爸媽呢，則喜歡叫我「非洲進口的」。因為我小時候很黑。

我住在基隆的小山坡上，以挖礦為生。有一天，我看到一道光從天上降下來，還有天使環繞著光芒歌唱，我打開門，一位可愛小女孩跑進來，説是我太太，後面還跟著一隻小貓和一隻金黃色的狗。從此，我們就在山丘上過著童話生活。

可是，天使們還是繼續唱個不停。我只好在光芒降落的地方，拚命挖、拚命挖，最後有一道噴泉湧出，上面托著一個銀盤，銀盤上有一本古老的書籍。

這本書真好看，我把它抄下來，騎著獨角獸，越過草原，到臺北去。

「這是我寫的！」我說。

「好看好看！」大家都點頭。

就這樣，我就成了一個小作家。

而那從天而降的寶典，就到了你手裡啦。

我帶著幾枚金幣回家，一路上想到終於可以多買幾張CD，就覺得很高興。更快樂的是，我回想到那些三天使們唱的歌：「但願這個世界光明祥和，一切美好，但願看到這本書的人，都健康長壽，快樂無憂……」

包括你在內喔！

國家圖書館出版品預行編目資料

十二聲笑：文字動物園/哲也文；呂淑恂、吳
司璿圖. -- 第三版. -- 臺北市：親子天下股份
有限公司, 2021.06
96面；17X21公分. -- (字的童話系列；5)
ISBN 978-957-503-996-7(平裝)

863.596   110005453

字的童話系列 05

十二聲笑

作者｜哲也

繪者｜呂淑恂、吳司璿

責任編輯｜蔡忠琦、李寧紜
美術編輯｜郭惠芳、蕭雅慧

天下雜誌群創辦人｜殷允芃
董事長兼執行長｜何琦瑜
媒體暨產品事業群
總經理｜游玉雪
副總經理｜林彥傑
總編輯｜林欣靜
行銷總監｜林育菁
資深主編｜蔡忠琦
版權主任｜何晨瑋、黃微真

出版者｜親子天下股份有限公司
地址｜台北市 104 建國北路一段 96 號 4 樓
電話｜（02）2509-2800 傳真｜（02）2509-2462
網址｜ www.parenting.com.tw
讀者服務專線｜（02）2662-0332 週一～週五：09:00～17:30
讀者服務傳真｜（02）2662-6048
客服信箱｜ parenting@cw.com.tw
法律顧問｜台英國際商務法律事務所‧羅明通律師
製版印刷｜中原造像股份有限公司
總經銷｜大和圖書有限公司 電話：（02）8990-2588

出版日期｜ 2005 年 12 月第一版第一次印行
　　　　　 2021 年 6 月第三版第一次印行
　　　　　 2023 年 9 月第三版第五次印行
定　　價｜ 2600 元。全套共 7 本讀本、7 片有聲故事 CD，並加贈親子活動讀本 1 本（不分售）
書　　號｜ BKKCA005P
I S B N ｜ 978-957-503-996-7（平裝）

──────────────── 訂購服務

親子天下 Shopping ｜ shopping.parenting.com.tw
海外‧大量訂購｜ parenting@cw.com.tw
書香花園｜台北市建國北路二段 6 巷 11 號 電話（02）2506-1635
劃撥帳號｜ 50331356 親子天下股份有限公司

立即購買 >